Texte : Manon Bergeron et Danielle Lalande
Conception graphique et illustrations : François Daxhelet

Boomerang éditeur jeunesse remercie la SODEC
pour l'aide accordée à son programme éditorial.

ISBN : 978-2-89595-551-1
Imprimé en Chine

Mes cinq premières années

Illustrations : François Daxhelet

Me voilà !

Je suis né ou née le : 11 septembre 2012 à : 21 h 33

À : Montréal

Je m'appelle : Eva

Mon surnom est : Bébête

Je pèse : 3 kgs 460

Je mesure : 51 cm

Mes cheveux sont : chatains

Mes yeux sont : gris

Mon groupe sanguin est : O+

Mon signe astrologique est : vierge

Mon ascendant est :

Mes signes particuliers sont : magnifique, intelligente !

Photos et souvenirs de ma naissance

La première fois que...

Je suce mon pouce : dès le début, la première semaine

Je prends ma suce :

Je souris : 1 mois et demi

Je gazouille : 2 mois et demi

Je ris : 4 mois

Je dors toute la nuit : 1 mois et demi

Je me retourne :

Je m'assois :

Je saisis un objet :

Je donne un bisou :

Je soulève la tête : 1 mois / 1 mois et demi

Je rampe :

Je marche à quatre pattes :

Je me tiens debout :

Je fais mes premiers pas :

Je dis mon premier mot :

Je dis « maman » : 3mois

Je dis « papa » :

Je bois au verre :

Je mange sans aide :

Je mange des aliments solides :

Je mange comme toute la famille :

Je fais pipi dans le petit pot :

Je ne prends plus ma suce :

Je m'habille tout(e) seul(e) :

Je me déshabille tout(e) seul(e) :

Je porte une petite culotte :

Je me fais couper les cheveux :

Mon premier jour à la garderie!

La date :

Le nom de la garderie :

Le nom de mon éducateur ou de mon éducatrice :

Ce que j'ai aimé :

Ce que je n'ai pas aimé :

Les nouveaux jeux que j'ai appris :

Voici mes nouveaux amis :

Mes commentaires :

Souvenirs et photos

C'est mon premier anniversaire!

Que s'est-il passé?

À la garderie :

_____

_____

_____

À la maison :

_____

_____

À la maison, j'ai célébré avec :

_____

Mes cadeaux :

_____

Commentaires :

_____

_____

_____

Souvenirs et photos

J'ai un an!

Ce qui me fait le plus plaisir :

J'ai peur de :

À la maison, je m'amuse avec :

Je pense souvent à :

Ce qui m'amuse le plus :

Ce qui me fait rire :

Ce que je n'aime pas :

Mes petites habitudes :

En général, je suis :

Mes préférences

Ma journée préférée :

Ma chanson préférée :

Mon histoire préférée :

Mon livre préféré :

Ma couleur préférée :

Mes vêtements préférés :

Mon pyjama préféré :

Mes jouets préférés :

Mes jeux préférés :

Mon émission de télévision préférée :

Mon animal préféré :

Mon activité préférée :

Mon repas préféré :

Mon ami préféré :

Mon film préféré :

Je l'ai regardé   fois

Je fête mes 2 ans !

Que s'est-il passé ?

À la garderie :

À la maison :

À la maison, j'ai célébré avec :

Mes cadeaux :

Commentaires :

Souvenirs et photos

J'ai 2 ans maintenant !

Ce qui me fait le plus plaisir :

J'ai peur de :

À la maison, je m'amuse avec :

Je pense souvent à :

Ce qui m'amuse le plus :

Ce qui me fait rire :

Ce que je n'aime pas :

Mes petites habitudes :

En général, je suis :

Mes préférences

Ma journée préférée :

Ma chanson préférée :

Mon histoire préférée :

Mon livre préféré :

Ma couleur préférée :

Mes vêtements préférés :

Mon pyjama préféré :

Mes jouets préférés :

Mes jeux préférés :

Mon émission de télévision préférée :

Mon animal préféré :

Mon activité préférée :

Mon repas préféré :

Mon ami préféré :

Mon film préféré :

Je l'ai regardé   fois

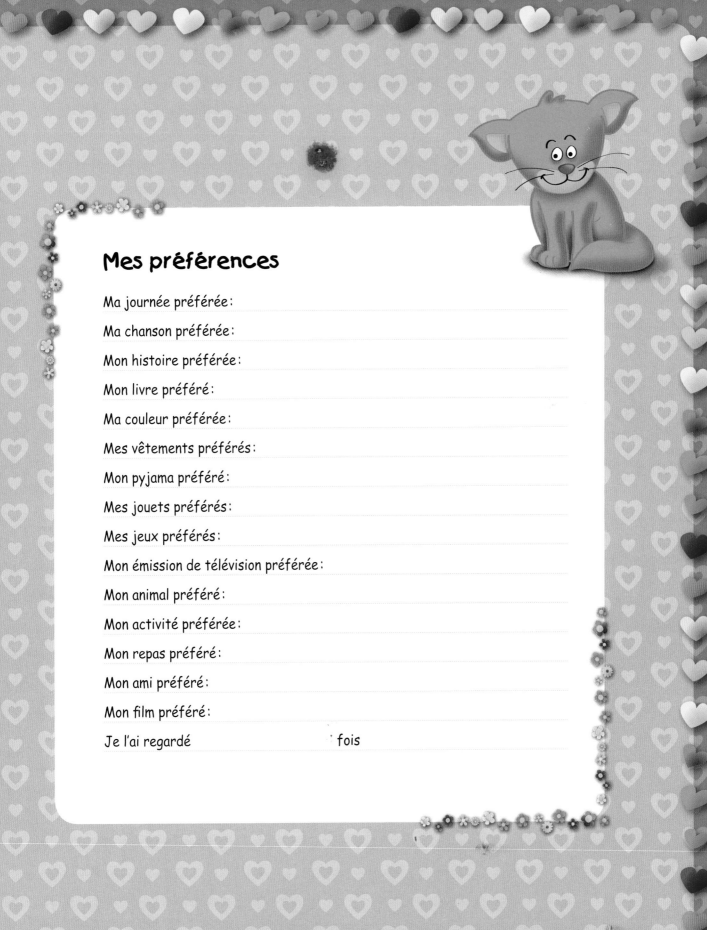

J'ai toutes mes dents !

Première dent	Onzième dent
Deuxième dent	Douzième dent
Troisième dent	Treizième dent
Quatrième dent	Quatorzième dent
Cinquième dent	Quinzième dent
Sixième dent	Seizième dent
Septième dent	Dix-septième dent
Huitième dent	Dix-huitième dent
Neuvième dent	Dix-neuvième dent
Dixième dent	Vingtième dent

1. Les deux premières incisives inférieures (entre 6 et 8 mois)
2. Les deux premières incisives supérieures (entre 7 et 9 mois)
3. Les deux autres incisives supérieures (vers 8-9 mois)
4. Les deux autres incisives inférieures (vers 9-10 mois)
5. Les premières molaires supérieures (vers 12 mois)
6. Les premières molaires inférieures (vers 14 mois)
7. Les canines supérieures (vers 16 mois)
8. Les canines inférieures (vers 18 mois)
9. Les dernières molaires inférieures (vers 22-24 mois)
10. Les dernières molaires supérieures (vers 24-26 mois)

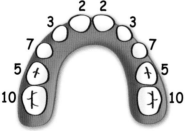

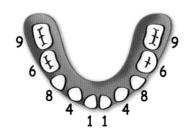

Anecdotes

Mes bons coups!

Mes mauvais coups!

Je fête mes 3 ans!

Que s'est-il passé?

À la garderie:

À la maison:

À la maison, j'ai célébré avec:

Mes cadeaux:

Commentaires:

Souvenirs et photos

J'ai 3 ans !

Ce qui me fait le plus plaisir :

J'ai peur de :

À la maison, je m'amuse avec :

Je pense souvent à :

Ce qui m'amuse le plus :

Ce qui me fait rire :

Ce que je n'aime pas :

Mes petites habitudes :

En général, je suis :

Mes préférences

Ma journée préférée :

Ma chanson préférée :

Mon histoire préférée :

Mon livre préféré :

Ma couleur préférée :

Mes vêtements préférés :

Mon pyjama préféré :

Mes jouets préférés :

Mes jeux préférés :

Mon émission de télévision préférée :

Mon animal préféré :

Mon activité préférée :

Mon repas préféré :

Mon ami préféré :

Mon film préféré :

Je l'ai regardé   fois

Mes amis

Nom et numéro de téléphone :

Nom et numéro de téléphone :

Nom et numéro de téléphone :

Nom et numéro de téléphone :

Nom et numéro de téléphone :

Nom et numéro de téléphone :

Par ici les souvenirs !

photos et dessins

Je fête mes 4 ans !

Que s'est-il passé ?

À la garderie :

_____

_____

_____

À la maison :

_____

_____

À la maison, j'ai célébré avec :

_____

Mes cadeaux :

_____

Commentaires :

_____

_____

_____

Me voici à 4 ans!

Ce qui me fait le plus plaisir :

J'ai peur de :

À la maison, je m'amuse avec :

Je pense souvent à :

Ce qui m'amuse le plus :

Ce qui me fait rire :

Ce que je n'aime pas :

Mes petites habitudes :

En général, je suis :

Mes préférences

Ma journée préférée :

Ma chanson préférée :

Mon histoire préférée :

Mon livre préféré :

Ma couleur préférée :

Mes vêtements préférés :

Mon pyjama préféré :

Mes jouets préférés :

Mes jeux préférés :

Mon émission de télévision préférée :

Mon animal préféré :

Mon activité préférée :

Mon repas préféré :

Mon ami préféré :

Mon film préféré :

Je l'ai regardé   fois

Quel artiste!

Dessins et bricolages

Dessins et bricolages

Je fête mes 5 ans !

Que s'est-il passé ?

À la garderie :

À la maison :

À la maison, j'ai célébré avec :

Mes cadeaux :

Commentaires :

Souvenirs et photos

Déjà 5 ans !

Ce qui me fait le plus plaisir :

J'ai peur de :

À la maison, je m'amuse avec :

Je pense souvent à :

Ce qui m'amuse le plus :

Ce qui me fait rire :

Ce que je n'aime pas :

Mes petites habitudes :

En général, je suis :

Mes préférences

Ma journée préférée :

Ma chanson préférée :

Mon histoire préférée :

Mon livre préféré :

Ma couleur préférée :

Mes vêtements préférés :

Mon pyjama préféré :

Mes jouets préférés :

Mes jeux préférés :

Mon émission de télévision préférée :

Mon animal préféré :

Mon activité préférée :

Mon repas préféré :

Mon ami préféré :

Mon film préféré :

Je l'ai regardé   fois

Mon premier jour
à la maternelle

La date :

Le nom de mon école :

Le nom de mon enseignant ou de mon enseignante :

Ce que j'ai aimé :

Ce que je n'ai pas aimé :

Les nouveaux jeux que j'ai appris :

Voici mes nouveaux amis :

Ce que j'ai appris :

Je sais compter jusqu'à :

Mes commentaires :

Souvenirs et photos

Tableaux de croissance

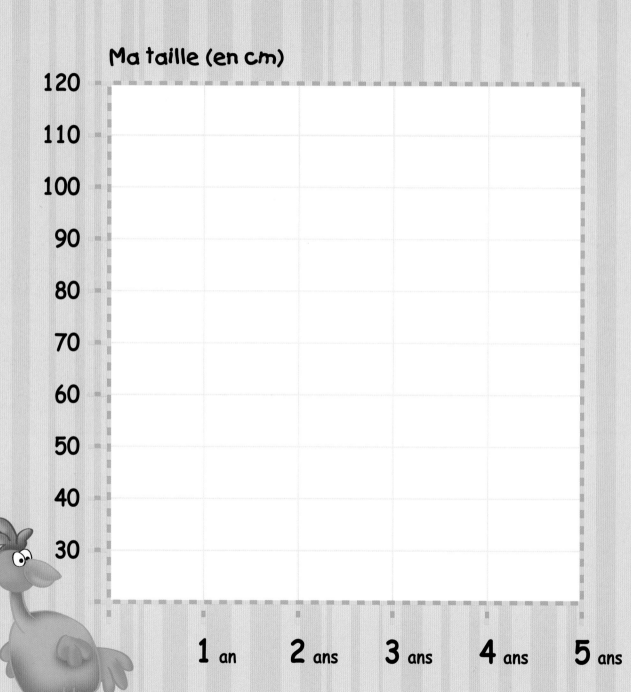

Ma taille (en cm)

120
110
100
90
80
70
60
50
40
30

1 an   2 ans   3 ans   4 ans   5 ans

Mon poids (en kg)

22
20
18
16
14
12
10
8
6
4

1 an   2 ans   3 ans   4 ans   5 ans

Un petit air de famille...

Mes yeux sont comme ceux de :

Mon front est comme celui de :

Mes sourcils sont comme ceux de :

Mon nez est comme celui de :

Mon menton est comme celui de :

Mes oreilles sont comme celles de :

Ma bouche est comme celle de :

Mon sourire est comme celui de :

Mes doigts sont comme ceux de :

Mes orteils sont comme ceux de :

J'ai des fossettes comme :

J'ai des rosettes comme :

J'ai le caractère de :

À cause de tout cela, on dit que je ressemble comme deux gouttes d'eau à :

Mon arbre généalogique

Mes photos préférées

Photos

Photos